Bruño

Director de Ediciones y Producción:
José Ramírez
Jefe de Publicaciones Infantiles y Juveniles:
Trini Marull
Jefe de Producción:
José Valdepeñas

Coordinadora de Ediciones:
Cristina González
Coordinadora de Producción:
Mar Morales

Ilustraciones:
Birgit Rieger

Traducción:
Rosa Pilar Blanco

Diseño de cubierta:
Miguel Ángel Parreño

Título original: *Hexe Lilli wird Detektivin*

Maestro Alonso, 21.
28028 Madrid.

AKS64000010
ISBN: 84-216-3420-8
Depósito legal: M. 325–2002
Printed in Spain

KNISTER

detective

Bruño

7.ª edición

Al final de este libro
encontrarás tres estupendos
trucos de detective.
Pero no seas impaciente y…
¡espera a llegar
a la página 105!

Ésta es Kika,
la superbruja
protagonista
de nuestra historia.
Tiene más
o menos tu edad
y parece una niña
corriente y moliente.
Bueno, en realidad
lo es…, aunque no
del todo. Y es que
Kika posee algo muy poco común:
¡un libro de magia!

Una mañana, Kika encontró ese libro junto a su cama. ¿Que cómo llegó a parar allí? Ni idea.

Kika sólo sabe dos cosas: que la atolondrada bruja Elviruja se lo dejó olvidado en un descuido, y que el libro contiene auténticos encantamientos y loquísimos trucos de bruja. Kika ya ha probado algunos. Pero ¡cuidado…!

Será mejor que no intentes imitar los conjuros de Kika, porque...

Si al leer una palabra te equivocas,
tu cepillo de dientes se convertirá en escoba;
tu profesora, en una monstrua abominable,
y el helado que te estás comiendo,
en un pepinillo en vinagre.

Por si acaso, Kika Superbruja no le ha hablado a nadie de su fantástico libro. Es, como si dijéramos, una bruja auténtica, pero secreta. Ha ocultado la existencia del libro de magia incluso a Dani, su hermano pequeño, y esto no le ha resultado nada fácil, pues Dani es muy, pero que muy curioso, y a veces hasta puede resultar algo plasta. Pero, a pesar de todo, Kika le adora.

Bueno... y a continuación, ¡sumérgete en el placer de la superlectura con las aventuras de Kika Superbruja!

Capítulo 1

—¡Arriba las manos! ¡No te muevas! —grita Kika.

Se ha acercado sigilosamente a su hermano por la espalda. Dani, sobresaltado, deja caer su *game boy*.

—¡Imbécil, qué susto me has dado!

—Así es como actúan los detectives. Se acercan en silencio y con mucha cautela al culpable y, entonces, rápidos como el rayo, sorprenden al malvado antes de que tenga tiempo de borrar sus huellas.

—Tú y tus estúpidos juegos de detectives —dice Dani mientras se agacha para recoger su *game boy*.

—Esto no es un juego. ¡Te he descubierto! Con mi lógica implacable, te he pillado con las manos en la masa. ¿O vas a negarme que has estado mordisqueando una de mis chocolatinas?

—¿Por qué lo dices? —pregunta Dani asombrado.

—No te hagas más tonto de lo que eres. Sabes de sobra a qué me refiero —Kika saca una lupa del bolsillo de su pantalón y examina con ella a su hermano de la cabeza

a los pies—. Enséñame los dedos —ordena con un tono que no admite réplica.

Dani deja la *game boy* sobre la mesa y, obediente, extiende sus manos.

Kika le inspecciona los dedos con la lupa. Está buscando huellas delatoras. Pero, de repente, Dani sonríe con aire burlón.

—Me acabo de lavar las manos —anuncia orgulloso.

—Muy astuto… ¡Vamos, abre la boca! —dice Kika con tono aún más amenazador—. ¡Bien abierta! —ordena.

Mientras dura la investigación, Kika tiene que limpiar varias veces la lupa con su manga, porque enseguida se empaña con el aliento de su hermano.

—«Ehto eh peoh que el deh-ihta» —balbucea Dani con la boca abierta de par en par.

—¿Qué dices?

—¡Que esto es peor que el dentista! —logra repetir Dani. Luego se echa a reír y añade—: Resulta que también me he lavado los dientes, porque…

Pero Kika le interrumpe y suelta un bufido:

—¡Abre la boca o te vas a enterar! Verás cómo se te quitan las ganas de reír... Conque quieres jugar a los dentistas, ¿eh? Pues entonces espera, que voy a subir del sótano la taladradora de papá. Pero antes te pondré una inyección del tamaño de una botella de coca-cola. A no ser que lo confieses todo...

Dani, asustado, abre tanto la boca que Kika casi llega a divisar su estómago.

—Vaya, vaya... Así que te has lavado los dientes, listillo. Pero no creas que te vas a librar con eso. ¡Tendrás que vértelas con Kika, la mejor detective a este lado del Canal de la Mancha! Soy casi tan famosa como la señora Marple y la detective secreta Henrietta Holmes. La conoces, ¿no? Solía ir vestida de hombre y se hacía llamar Sherlock Holmes.

—¿Cómo? ¿Que Sherlock Holmes era en realidad una mujer? —se sorprende.

—¡Cierra el pico y abre la boca! 

—«Aah, yoh hólo hería hecir...»

—¡Creo que tengo la solución! —exclama Kika con una sonrisa de satisfacción—. Ya puedes cerrar la boca, pero no te muevas de aquí. Vuelvo enseguida.

Corre como una flecha hacia la habitación de su hermano y regresa al momento. A Dani ni siquiera le ha dado tiempo a encender de nuevo su *game boy*. Kika lleva en su mano izquierda una chocolatina mordisqueada, y en la derecha un trozo de plastilina.

—¡Muerde aquí! —le ordena a Dani mientras le tiende la plastilina—. ¡Pero sólo muérdela, no te la tragues!

—¿Que muerda... eso? —pregunta Dani con cara de asco.

—Sí, hombre, sí, y de-pri-si-ta… —silabea Kika poniéndole la plastilina delante de la boca—. No temas, no es venenosa. Lo pone en el envoltorio. ¡Vamos! Ahora te demostraré que has sido tú el que ha mordisqueado mi chocolatina. ¡Venga! Si no la muerdes ahora mismo, te meteré toda la plastilina en la boca, con plástico incluido.

Dani respira hondo, cierra los ojos y muerde valerosamente la pasta.

—Basta. Ahora vuelve a abrir la boca.

Kika saca con cuidado el trozo de plastilina de la boca de Dani. En el lugar del mordisco se distinguen con claridad las huellas de sus dientes. Kika coge su lupa y compara esas marcas con las huellas que han quedado en la chocolatina.

En realidad, la lupa sobraba. A Dani se le ha caído un diente y tiene un enorme hueco en la mandíbula superior.

Ésa es la demostración palpable de que la huella de la plastilina es exactamente la misma que la de la chocolatina.

A Dani no le queda otro remedio que admitir su derrota.

—¡Qué bárbaro! —exclama—. Eres una auténtica detective.

—Pues claro —contesta Kika muy segura de sí misma mientras parte un trozo de la

chocolatina. Su enfado ha desaparecido—. Si te comes mi chocolate, al menos procura partirlo con la mano en lugar de morderlo —dice mientras le da otro trozo a su hermano—. Pero no creas que luego no voy a descubrirte. Al fin y al cabo soy la mejor...

—... detective a este lado del Canal de la Mancha —completa Dani—. ¿Y qué es el Canal de la Mancha? ¿Tiene algo que ver con una mancha?

—Yo tampoco lo sé muy bien —responde Kika—. En cualquier caso, más allá del

Canal de la Mancha está Gran Bretaña, la patria de la señorita Marple y de Henrietta Holmes. Ven, te enseñaré dónde está Gran Bretaña en el atlas.

Pero a Kika no le da tiempo, porque en ese momento su madre grita desde la cocina:

—¡Niños, poned la mesa, por favor! La comida está lista.

Entonces Kika le pega un codazo a su hermano antes de preguntar:

—¿A que no sabes lo que ha preparado mamá para comer?

—¿Cómo voy a saberlo?

—¡Utilizando tu olfato de detective! —le anima Kika.

Dani olisquea como un perro.

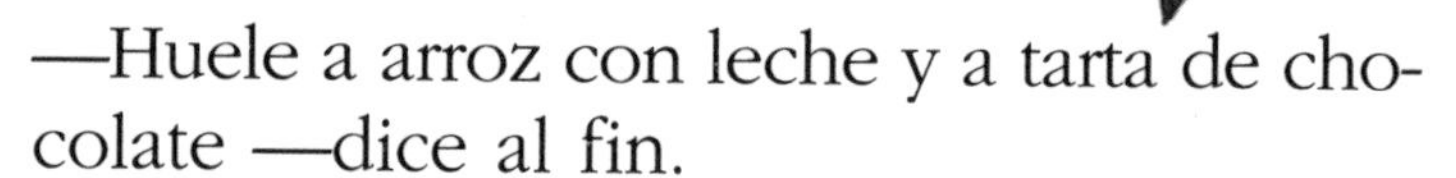

—Huele a arroz con leche y a tarta de chocolate —dice al fin.

—¡Tú estás loco! —dice Kika—. Apesta a pescado... ¡Huele a diez kilómetros!

Dani abre la puerta de la habitación y vuelve a olfatear.

—Pues yo creo que huele a tarta de chocolate y a arroz con leche.

Kika le da unas palmaditas en la espalda y sonríe.

—Dani, chaval: aún te queda mucho por aprender... —dice—. Pero llegará el día en que puedas distinguir el pescado de la tarta de chocolate. Lo de hoy es pescado, de eso no hay duda. Huele que apesta. Pero déjame seguir con mis deducciones... Hoy es miércoles, el día en que mamá casi no tiene tiempo para cocinar porque va al curso de inglés en la Escuela de Adultos. Así que habrá varitas de pescado congeladas. Se preparan muy rápido y, además, no tienen espinas. ¿Recuerdas la última vez que comimos pescado? Te tragaste una espina y montaste un número tremendo. Así que..., punto uno: es muy probable que hoy comamos varitas de pescado. Y ahora seguiré con mis deducciones. En freír patatas se tarda bastante tiempo... Sin embargo, el arroz estaría bien. Se prepara enseguida, y al pescado le va mejor que la pasta, por ejemplo. Así que el punto dos es arroz. Pero arroz y pescado no es suficiente... Aún falta la verdura. Seguro que también congelada. Mamá ha hecho la compra, y si ha ido a la tienda de los congelados por el pescado, seguro que también habrá comprado allí la verdura. Probablemente guisantes, porque se hacen enseguida en el microondas. Esto soluciona también el punto tres. La comida está lista. ¿Qué te apuestas a que mamá ha preparado eso?

—Necesito oler un poco más —dice Dani olisqueando de nuevo en dirección a la cocina.

Al fin anuncia:

—El inspector Dani, de la brigada de investigación criminal, apuesta su pistola de agua a que hoy hay arroz con leche y tarta de chocolate.

—¡Hecho! —exclama Kika mientras echa a correr para llegar la primera a la cocina—. ¡He ganado, he ganado! —grita entusiasmada—. Tenía razón hasta en lo de los guisantes.

Llena de orgullo, coloca la fuente con los guisantes sobre la mesa. Casi se quema los dedos porque el recipiente está muy caliente.

Mamá se impacienta:

—Vamos, Kika, date prisa. Hoy es miércoles y ya sabéis que tengo mucha prisa. Por favor, trae un plato hondo y una cuchara para Dani. Esta mañana me ha dicho que le gustaría comer arroz con leche y tarta de chocolate. Las dos cosas están en la nevera.

Kika se queda pasmada.

—¡Yo también he ganado! —ríe Dani, ya sentado a la mesa.

—¡Tramposo! ¡Qué manera de tomarme el pelo! Hay que ver cómo olfateabas... Parecía que no habías olido el pescado. ¡Mira que engañarme de esa forma! —exclama Kika al colocar la cuchara para su hermano en la mesa con un fuerte golpe—. ¡Qué bien que no te llames Watson! —añade.

—¿Qué quieres decir? —pregunta Dani.

Pero Kika se limita a encogerse de hombros. Ahora no tiene ganas de explicarle a su hermano que Watson fue el famoso ayudante de Sherlock Holmes.

Capítulo 2

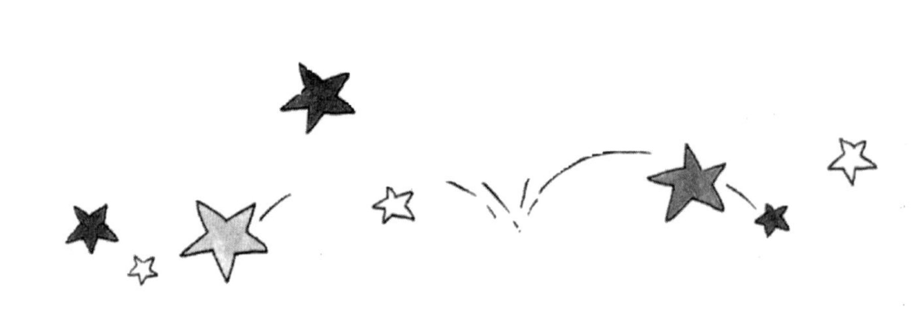

Después de comer, Kika y Dani se quedan solos. Mamá se ha ido a su clase de inglés y papá todavía no ha llegado.

A pesar de que Dani ayuda encantado a su hermana a recoger la mesa, la está poniendo de los nervios. No para de bombardearla con preguntas:

—¿Cuántos años hay que tener para ser detective? ¿Los detectives saben leer el pensamiento? ¿Cuántas pistolas llevan? ¿Tiene que saber leer un detective? ¿Los detectives necesitan radiotransmisores? ¿Saben kárate, judo, o las dos cosas? ¿Tienen que ser también alpinistas o submarinistas?

Cuando apenas ha contestado una pregunta, su hermano le hace otra.

Al final, Kika huye a su habitación.

—Tengo que hacer los deberes —dice—. ¡Y sola!

Pero quitarse de encima a su hermano no es tan sencillo. Dani sólo cierra la boca cuando Kika le deja su maletín de detective.

—¡No saques nada, limítate a mirar! —le advierte.

Kika se ha comprado el maletín de detective con sus ahorros. Contiene una lupa, tinta invisible, polvo para tomar las huellas dactilares, gafas, bigotes y narices postizos, una libreta para anotar las declaraciones, documentación de detective, una linterna de bolsillo especial y muchas cosas más. Desde que tiene el maletín juega casi todos los días con él. Además, ya se ha leído un montón de novelas de detectives, y si sus padres la dejasen, sería capaz de ver películas policíacas todos los días en la tele.

Kika hace los deberes muy deprisa y coge de la estantería una vieja novela de detectives muy emocionante. Ayer la pidió prestada en la biblioteca y tiene que devolverla mañana, así que no le queda mucho tiempo para leerla. Por eso no es extraño que se enfade cuando, al cabo de un ratito, Dani se presenta en su habitación.

—Kika, ¿para qué sirven los polvos de tu maletín?

—Para ver las huellas dactilares —contesta ella sin levantar la vista de la novela de detectives.

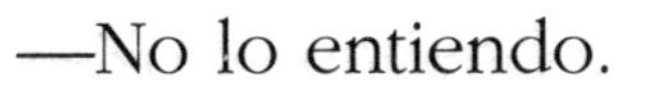

—No lo entiendo.

—Ahora no tengo tiempo de explicártelo —refunfuña Kika.

Si en este momento mirase a Dani, seguramente se echaría a reír, porque su hermano tiene una pinta rarísima. Se ha pegado un bigote postizo y lleva unas gafas enormes sobre la nariz.

—Pero si uno se lava las manos, ya no deja huellas... —dice Dani—. Y, entonces, ¿para qué sirven los polvos? ¡El malo sólo tiene que lavarse las manos para no dejar huellas!

—No es tan sencillo —le contradice su hermana, sin despegar la vista de la novela—. Cuando uno no quiere dejar huellas, tiene que ponerse guantes.

—¿Aunque no tengas los dedos manchados de mermelada?

—Sí.

—No me lo creo —dice Dani.

—¡Pues no te lo creas, pero déjame en paz de una vez!

—He gastado casi todo el polvo haciendo pruebas y sigo sin ver nada.

En ese momento, Kika cierra el libro de golpe y exclama:

—¿Que has hecho *qué?*

—Bueno... quiero decir que... no se ve ninguna huella... —responde Dani con voz tímida.

—¡Te había prohibido jugar con el maletín! —grita Kika—. ¿Qué has hecho con los polvos?

Sin esperar respuesta, Kika sale corriendo hacia la habitación de su hermano.

¡Justo lo que se temía! Dani ha desperdigado sus valiosos polvos por todo el cuarto.

En la bolsa apenas queda un puñadito. ¡Porras! Kika se enfada.

Dani comprende que ha ido demasiado lejos y se queda plantado delante de su hermana con los ojos llenos de lágrimas.

Kika lo mira y, a pesar de estar muy enfadada, decide no regañarle. Además, Dani tiene un aspecto tan gracioso con ese disfraz... Ella le acaricia la cabeza.

—Vamos, vamos, no es para tanto —le consuela—. Voy a explicarte lo de las huellas dactilares. Cada persona tiene sus propias huellas. No hay dos personas con las mismas huellas en todo el mundo. Cuando tocamos cualquier cosa, dejamos nuestras huellas impresas en ella, y eso se debe al sudor de nuestra piel. Para hacer visibles esas huellas, los detectives usan un polvo de grafito muy fino. Si no tienes maletín de detective, o se te acaba el polvo, puedes comprarlo en la farmacia.

Dani se suena la nariz.

—Vamos, deja de llorar —dice Kika abrazando a su hermano.

—No, si no lloro... Es... —balbucea Dani— ... es por culpa del bigote. Me hace cosquillas.

Y se echa a reír. Kika se ríe con él.

—¿Y las huellas dactilares se quedan marcadas para siempre en las cosas que uno toca? —pregunta Dani.

—No, se pueden borrar. Los ladrones astutos lo hacen.

—Y cuando un detective descubre una huella con esos polvos, ¿qué hace?

—La compara con las huellas dactilares del fichero de delincuentes.

—Pero ¿cómo pueden llegar mis huellas a ese fichero? —quiere saber Dani.

—¡Buena pregunta! —contesta Kika sonriendo—. Ése es justamente el punto débil de los detectives. Tú no eres un criminal, y por eso tus huellas no están en el fichero. En él sólo hay huellas dactilares de las personas que han cometido algún delito y han sido detenidas. Si las huellas que descubre con los polvos no están en el fichero, no le sirven de nada al detective.

—Si yo fuera un ladrón, sólo robaría con guantes —dice Dani—, o llevaría siempre un trapo para limpiar el polvo.

—Bueno, el caso es que tú no eres ningún gángster, así que, por favor, déjame seguir leyendo y ordena ahora mismo mi maletín.

Kika vuelve a su habitación y se tumba en la cama con la novela de detectives. Aunque enseguida la interrumpen de nuevo. Esta vez no se trata de su hermano, sino de su madre.

—Pero ¿ya has vuelto? —pregunta Kika.

—¡No vas a creerte lo que me ha pasado! —contesta su madre mientras se deja caer agotada en una silla—. De camino hacia la clase se me ha ocurrido pasar por la peluquería para pedir hora para mañana. Cuando he salido, mi bicicleta había desaparecido sin dejar rastro. ¡Y eso que apenas he estado un par de minutos dentro de la peluquería!

—A que no le pusiste el candado a la bici, ¿eh?

—Pues no... —responde su madre con un suspiro—. Como iba a dejarla sola nada más que un momento, y tenía tanta prisa...

—¡Qué mala suerte! —dice Kika, que enseguida va a sentarse en el regazo de su madre.

Ésta rodea con sus brazos la cintura de su hija y exclama:

—¡Me da una rabia! Ayer mismo estuve limpiando la bici hasta dejarla como nueva. ¡Si lo hubiera sabido...!

—¿Has ido a la policía?

—Por supuesto —responde su madre—. Y casi se han reído de mí. «¿Cuántas bicicletas cree usted que roban todos los días?», me han dicho.

—¿Y no han hecho nada más? —pregunta Kika enfadada.

—Sí, sí... Han redactado un informe y me han preguntado el número del bastidor. Como es natural, yo no tenía ni idea. ¿A quién se le ocurre pensar en esas cosas?

—*Yo* sí tengo anotado el de mi bici —informa Dani.

Madre e hija no se han dado cuenta de que Dani estaba escuchando su conversación.

—Nuestra profe nos ayudó a hacerlo en clase —continúa explicando—, y ahora todos tenemos un carné de bicicleta. El otro día también robaron dos bicis delante del cole, y hasta vino la policía. Después de eso nos hicimos el carné de bicicleta.

—No sabía nada —dice Kika.

—¡Pero si siempre te lo cuento todo...! —replica Dani.

—De lo del robo de las bicicletas no me dijiste una palabra. Sólo me contaste que

la policía fue a tu clase y que te dejaron subirte a una de sus motos.

—Sí, ¡eso fue lo mejor! —exclama Dani.

—Bueno —mamá se levanta—. Voy a ver si encuentro la factura de la bici por algún sitio. A lo mejor ahí está anotado el número del bastidor. Quizá entonces el seguro cubra el robo.

—El seguro sólo te paga si le has puesto el candado a la bici —dice Dani—. Nos lo dijo el policía.

Dani las mira lleno de orgullo, y su madre y su hermana se asombran de todo lo que sabe. Luego mamá empieza a buscar la factura de su bici. Kika recoge el maletín de detective de la habitación de su hermano y le pide que deje de darle la tabarra:

—Júralo por tu pistola de agua —le dice.

—Vale, lo juro —responde Dani.

Kika espera unos instantes con la oreja pegada a la puerta de su habitación, para estar segura de que no hay nadie al otro lado. Y es que no quiere que la molesten mientras trama su plan.

Los que ya conocéis a Kika Superbruja sabéis de sobra por qué actúa con tanto misterio. ¡Las brujas secretas siempre hacen sus brujerías en secreto! Kika se ha encerrado en su cuarto con el maletín de detective sólo para disimular. Es una bruja secreta muy

astuta, y sabe perfectamente que ese maletín de detective para niños no le va a servir para ayudar a mamá. Aunque, ¿quién sabe...? Quizá con alguna fórmula mágica...

Antes de nada, Kika vuelve a pegar la oreja a la puerta, como medida de seguridad. Después saca su libro de magia del escondrijo que hay debajo de la cama. En ese libro, todos los encantamientos aparecen por orden alfabético. Kika piensa: «¿Por qué palabra empiezo a buscar? Seguro que *bicicleta* no aparece en el libro, porque en la época de las verdaderas brujas todavía no existían las bicis.» Así que comienza buscando *robo*.

Allí descubre algunos encantamientos que permiten a las brujas robar cosas. Aunque la verdad es que se trata de cosas muy extrañas, como por ejemplo, la luz del crepúsculo. Sí, justo al principio hay una fórmula mágica muy sencilla con la que se puede robar del cielo la luz del crepúsculo. «¿Para qué porras servirá eso?», se pregunta Kika. Los demás encantamientos tampoco le sirven de nada. «¿Para qué querría robarle yo a una princesa su corazón enamorado, o el brillo al oro, o su reino a un rey?», se extraña Kika.

En realidad, que en el libro sólo aparezcan encantamientos para robar cosas rarísimas es de lo más normal, porque una bruja apenas necesita robar nada. Cuando quiere una cosa, sencillamente la consigue con algún hechizo.

Sin embargo, en el libro tiene que haber algo para ayudarle a recuperar la bici de mamá. Kika le da vueltas a la cabeza. Y entonces se le ocurre una idea. ¡A lo mejor hay un conjuro para recuperar las cosas! Pasa las páginas del libro y… ¡ahí está! Ha encontrado dos fórmulas mágicas para recuperar cosas, aunque son muy difíciles de entender. Le cuesta un buen rato leer y comprender las complicadas instrucciones. Al final escribe un par de notas con tinta invisible en un papel y vuelve a esconder el libro de magia en su sitio. Luego se va a ver a su madre.

—Oye, mamá, ¿conservas todavía algo de tu bicicleta? —le pregunta.

—¿A qué te refieres?

—Bueno, a cualquier cosa. Por ejemplo, la bomba del aire, o una rueda vieja.

—Pero ¿a qué viene eso ahora?

—Por favor, piensa... —insiste Kika.

—Eres muy amable por querer ayudarme —contesta su madre—, pero eso no va a devolverme mi bicicleta. ¿O es que pretendes construirme una nueva usando viejas piezas sueltas?

—Por favor, por favor… —suplica Kika—. Es muy importante. No puedo decirte más.

—¿Sabías que Kika es una auténtica detective secreta? —interviene de repente Dani—. Más famosa que Sherlock Pómez, que en realidad era una mujer.

—¿Más famosa que Sherlock Pómez? —la madre mira a su hijo con los ojos abiertos como platos mientras intenta contener la risa—. ¿Ese Pómez no era el detective que le birló sus armas a la mafia? No lo recuerdo bien…

—Creo que sí —responde Dani con voz insegura, a la vez que pide ayuda con la mirada a su hermana mayor.

—¡Vamos, mamá! ¡No es el momento más indicado para gastar bromas! —replica Kika.

—Bueno, mujer, no imaginaba que lo dijeras tan en serio. Déjame pensar… ¿Y ese objeto tiene que ser necesariamente de mi bicicleta?

—Sí.

—Creo que… ¡Pues claro: el timbre viejo! Lo desmonté ayer porque estaba muy oxidado.

—¡Genial! —exclama Kika—. ¿Y dónde está ese timbre?

—Me parece que sigue en el sótano, a no ser que lo tirase a la basura. Entonces estaría en...

Mamá no sigue con sus explicaciones porque Kika ya corre camino del sótano.

Regresa al cabo de unos segundos.

—¡Aquí está el timbre!

—Muy bien. ¿Y qué piensas hacer con él ahora? —pregunta mamá.

—Un secreto es un secreto —replica Kika—. Ahora sólo tienes que decirme exactamente dónde te robaron la bicicleta.

—Junto a la peluquería «Estilistas del cabello» de la calle Principal —responde su madre.

—Gracias, con eso me basta —dice Kika—. Ahora comenzaré mis pesquisas.

Kika se dirige a su habitación para ponerse la chaqueta. Su madre y su hermano la siguen.

—¿Y adónde piensas ir, si puede saberse? —quiere saber mamá.

Kika guarda una caja de galletas en su mochila, junto al timbre viejo de la bici, y dice:

—Tengo que ir urgentemente…

—... a la calle Principal, ¿no? —termina su madre.

—Sí, también tengo que ir a la calle Principal, pero antes voy a pasar por el picadero.

—Pero si sólo montas a caballo los jueves —dice su madre extrañada.

—Es verdad, pero le prometí a Mónica que me encargaría de su turno de limpieza en el establo. Ella no puede ir hoy.

—¿Has terminado los deberes? —pregunta mamá.

—Sí —responde Kika.

—Está bien. Pero vuelve antes de que se haga de noche.

—Vale. Adiós.

Y un instante después sale de casa.

Kika regresa enseguida. Se ha dado mucha prisa porque, al fin y al cabo, en su casa le espera una importante tarea.

Sin embargo, no le queda más remedio que dejarla para más tarde, porque ya no hay forma de quitarse de encima a Dani. Su hermano no para de aporrear la puerta de su habitación, y es que está dispuesto a presenciar a toda costa su labor de detective secreta. Así que Kika tendrá que esperar hasta que Dani se haya dormido.

«De todas maneras, ¡es mucho más divertido hacer brujerías a oscuras!», se consuela a sí misma.

Por eso el libro de magia permanece por el momento en su escondite.

La verdad es que sus padres se asombran mucho de que Kika se acueste tan temprano esta noche, ¡y sin rechistar!

Kika se tumba en la cama deseando que se haga de noche enseguida.

Aunque en lo que menos piensa es en dormir...

Capítulo 3

Kika se frota los ojos. Está sonando la alarma de su reloj de pulsera.

«¡Me he quedado dormida!», piensa. Pulsa el pequeño botón del reloj para poner fin a los molestos pitidos. Es la una y media de la madrugada, y en la casa reina un silencio sepulcral.

Kika rebusca en el cajón de su mesa y saca un papelito y un destornillador. Levanta con cuidado la tapa trasera de su casete y extrae una caja de cerillas y una pequeña vela de su interior.

«A ver quién es el listo que descubre este escondite secreto», se dice a sí misma, satisfecha.

Después de encender la vela, acerca el papelito a la llama y lo mueve de un lado a otro muy despacio. Al cabo de un momento, y como por arte de magia, aparecen sobre el papel blanco las palabras *diente de ajo* y *caca de caballo,* y debajo, el número *382.*

—El truco de la tinta invisible funciona a la perfección —dice Kika en un susurro.

La tarde anterior consiguió un diente de ajo y lo escondió detrás de los libros de su estantería.

Ahora tiene que coger la caja de galletas de su mochila. Y... ¿qué es lo que contiene esa caja? ¡Caca de caballo! Auténtica y apestosa caca de caballo. A continuación sólo le queda sacar el libro de magia de su escondrijo y abrirlo por la página 382.

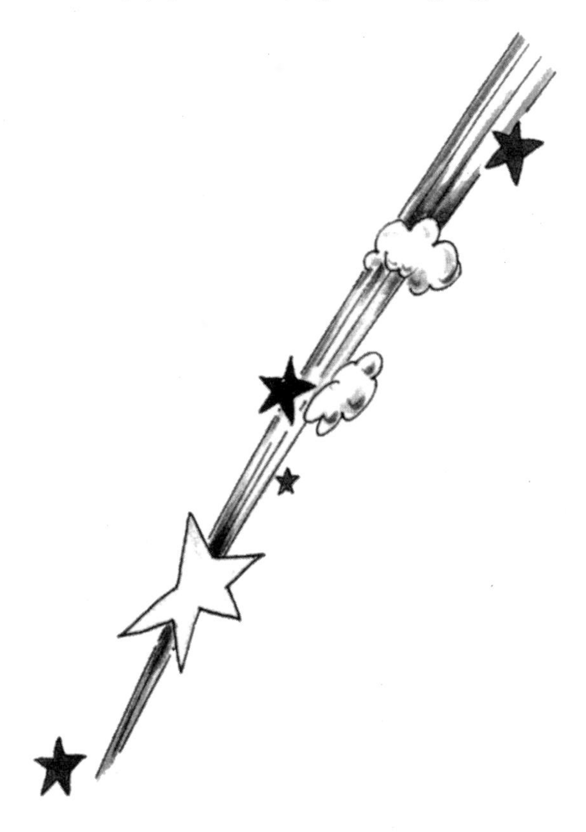

Después de ensayar un par de veces el conjuro, Kika realiza los últimos preparativos. Reparte la caca de caballo entre sus dos zapatillas y se las pone. Después respira hondo y se mete el diente de ajo en la boca. Ahora tiene que murmurar el conjuro incluyendo las palabras «la bicicleta de mamá» en el lugar adecuado. Después tiene que hacer el pino y tragarse el ajo. Pero ¿será posible tragárselo así, cabeza abajo? Kika hace el pino y lo consigue. ¡Genial! Después abre la ventana y sacude las zapatillas para eliminar cualquier rastro de la apestosa caca de caballo. Kika tiene un espantoso sabor de boca, aunque también se ha preparado para combatirlo: se bebe de un tirón una lata entera de refresco de limón para eliminar el aliento a ajo.

A Kika le gustaría salir corriendo enseguida hacia la calle Principal para comprobar si ha aparecido la bicicleta de su madre, pero es completamente de noche y no se atreve. Tendrá que esperar a mañana.

Por cierto, ¿qué decía la última novela de detectives que se había leído? «La mejor virtud del detective es la paciencia...» Así que a Kika le espera una dura prueba.

De pronto se mira los pies y se da cuenta de que hay algo que sí que tiene que hacer ahora mismo. Se desliza sin hacer ruido por el pasillo en dirección al cuarto de baño. ¡Sus pies apestan a caca de caballo!

Cuando apenas se ha metido en la bañera, su padre la sorprende.

—¿Qué estás haciendo, Kika? —pregunta extrañado.

—Me... me estoy lavando los pies —balbucea Kika.

—Ya lo veo. Pero ¿qué te traes entre manos? —insiste papá con un tono no demasiado amable.

—¿A qué… a qué te refieres? —pregunta Kika mientras busca una buena explicación para estar lavándose los pies a medianoche.

—¿Cómo ha llegado la bicicleta de tu madre a nuestra habitación?

—¿A vuestra habitación? —repite Kika, asombrada.

—¡No te hagas la tonta, Kika! Cuando nos hemos acostado, la bici no estaba allí. ¿Cómo la has metido en nuestro cuarto, y de dónde la has sacado?

—Estooo…, ejem… —Kika tartamudea como un niño pequeño. ¿Cómo podría explicárselo?—. Pues…, no sé…, ya sabes… En fin, ¿no es genial que la bici de mamá haya vuelto a aparecer? Y… ¿de verdad que está en vuestro cuarto? —Kika sigue sin creérselo del todo.

—Kika, ¿cómo ha llegado hasta allí?

—Yo..., yo... la he recuperado por arte de magia —se le escapa.

—¡Vaya, vaya, conque por arte de magia! —exclama su padre—. Vamos, dime la verdad de una vez: ¿dónde la has encontrado? ¿Has ido a la oficina de objetos perdidos? ¿O es que alguien se la ha llevado prestada y luego la ha devuelto?

—Eso no puedo revelártelo. Al fin y al cabo soy una detective secreta...

Kika respira aliviada al ver que su padre no le hace más preguntas sobre sus brujerías. De esa forma podrá seguir siendo una bruja secreta sin necesidad de mentir.

—Quería darle una sorpresa a mamá... —añade.

«Está claro», piensa Kika. «La bicicleta ha vuelto donde debía estar: con su dueña.» Pero de repente se le ocurre otra idea. ¿Acaso no dijo mamá que había limpiado

la bici antes de que se la robasen? Si es así, tal vez pueda descubrir algo...

—Papá, ¿puedo examinar la bici en calidad de detective? —pregunta Kika.

—Claro —responde su padre—. ¿Acaso no has sido tú la que se ha encargado de recuperarla? Pero será mejor que dejes ese examen para mañana, porque ya hace mucho que deberías estar durmiendo.

—Vale —contesta Kika—, pero al menos déjame llevármela a mi habitación.

Kika va al cuarto de sus padres y allí descubre a mamá sentada en la cama, con los ojos abiertos como platos y muy fijos en su bici, como si estuviera viendo un fantasma.

Está tan sorprendida que no es capaz de decir una sola palabra al ver que su hija se pone unos guantes y traslada la bici a su cuarto.

Kika se mete de nuevo en la cama, pero se mantiene despierta. Está esperando a que sus padres vuelvan a dormirse. Al cabo de una media hora comienza su labor detectivesca sin hacer ruido. Tras coger un poco del polvo de grafito que queda en su maletín de detective, se inclina sobre el guardabarros trasero. Pero ¿qué es esto? Los guardabarros son rojos, pero el resto de la bici es azul. ¡Mira que no haberse dado cuenta antes!

Kika no recuerda que su madre haya pintado los guardabarros en los últimos tiempos. Y, de haberlo hecho, seguro que no hubiera elegido el color rojo, ya que el azul es su preferido. ¡Qué extraño! ¿No comentó su madre que había cambiado el timbre viejo por uno nuevo? Sin embargo, el timbre de la bicicleta está muy oxidado. Todo esto es raro, muy raro.

«¿Habrá sido mi hechizo el que ha provocado estos cambios?», reflexiona Kika. No, no, es imposible. Tiene que haber otra razón. Algún robo bien planeado... El propio ladrón podría haber cambiado todas esas piezas para disimular el robo. Pero ¿por qué no montó piezas nuevas?

Kika empieza a atar cabos: a lo mejor ese ladrón ha robado muchas bicicletas e intercambia las piezas entre ellas. ¡Qué astuto! Kika comienza a sudar de puro nerviosismo. ¡No hay duda de que este asunto está al rojo vivo!

A continuación escoge un pincel muy fino y aplica cuidadosamente los polvos especiales sobre el guardabarros para buscar huellas dactilares. El polvo se queda pegado en los lugares donde los dedos han dejado sus marcas sobre el metal. Kika pega una tira de papel celo sobre una huella muy clara. Luego retira el celo y, al hacerlo, los polvos se quedan pegados en él. Después pega la tira sobre una ficha de cartulina blanca. ¡La huella se percibe con absoluta claridad! Kika lo ha ensayado muchas veces.

Lupa en mano, compara la huella con las otras de su fichero. Hasta la fecha, éste solamente contiene las de papá, las de mamá, las de Dani y las de su amiga Mónica. La huella nueva no concuerda con ninguna de ellas. ¡Bien! Kika está a punto de soltar un grito de emoción. Ha conseguido su primera huella dactilar realmente importante. Escribe «Guardabarros» en la ficha y anota la fecha cuidadosamente.

Acto seguido se tumba en la cama muy satisfecha. Lo más seguro es que ya esté sobre la pista del ladrón. Pero ¿cómo conseguirá dar con él? Ojalá que el libro de magia le sirva de ayuda. Kika reflexiona durante un rato hasta que acaba por dormirse. La verdad es que ha sido una nochecita muy movida.

Capítulo 4

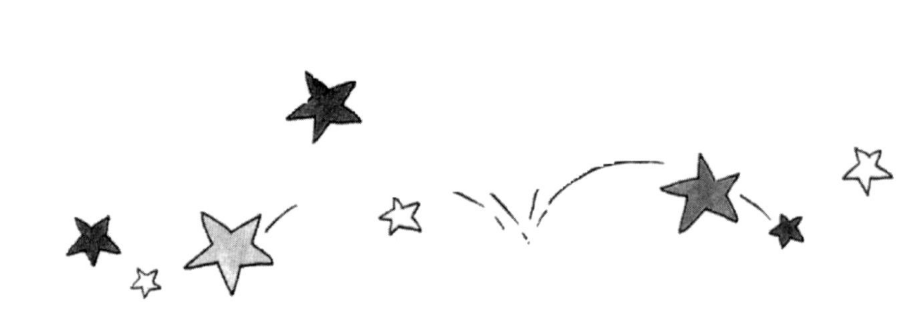

A pesar de haber dormido poquísimo, a la hora del desayuno Kika está muy animada. Como era de esperar, Dani ya se ha enterado de que ha conseguido recuperar la bici de mamá.

—¡Jo, Kika, eres fenómena! —la felicita.

—Necesito que me cuentes con pelos y señales todo eso del robo de bicicletas en tu clase —le pide ella.

Pero Dani no puede ayudarla. Por desgracia, no sabe mucho más.

—Robaron dos bicicletas. ¿Cómo iba a saber yo que eso era tan importante?

—Bueno, bueno… —le tranquiliza su hermana—. Yo misma me ocuparé de ese asunto después del cole.

Cuando Kika aparece en el aula de Dani, la profe ya se ha enterado de todo. Dani le ha contado el éxito de su hermana. Entonces la profe le da a Kika las direcciones de los niños a los que les robaron las bicis. Eso le permitirá proseguir con sus averiguaciones.

Después de tres horas de intensa labor detectivesca, Kika ha anotado las declaraciones de varios testigos, se ha llevado prestado el sillín viejo de la bicicleta de un niño y ha conseguido unas cuantas cosas más que guarda en su mochila.

Cuando llega a casa, Dani la asedia a preguntas. ¿Recuperará también las bicis de los niños? ¿Han detenido ya al que robó la bicicleta de mamá? ¿Se hará famosa Kika? ¿Saldrá por televisión? ¿Puede él echarle una mano? ¿Quiere que le preste su pistola de agua?

Dani pregunta y pregunta, pero Kika prefiere no responder. Así no cometerá errores.

—Por favor, déjame pensar tranquilamente a solas en mi cuarto. El artículo 384, párrafo A, del Reglamento de los Detectives dice que no se debe molestar cuando alguien está en plena investigación. ¡Alto secreto, ya me entiendes!

Dani no entiende ni jota, pero se queda muy impresionado y deja a Kika sola en su habitación. Poco después papá y mamá se marchan con él al dentista. ¡Estupendo! Ahora sí que no la molestará nadie.

Kika se pone manos a la obra enseguida. Hoy pondrá en práctica el otro hechizo para recuperar objetos. No quiere que la bicicleta de la que ha conseguido el viejo sillín aparezca de repente en la habitación de su dueño. ¡El pobre niño se quedaría turulato al verla! Por suerte, tiene su libro secreto. Kika repasa el nuevo hechizo de cabo a rabo. Luego saca de su mochila un pequeño gorro rojo que también pertenece al niño de la bicicleta robada. Kika se lo pone y vuelve a echar caca de caballo en sus zapatillas. Después coge el viejo sillín, se mete un diente de ajo en la boca y se lo traga con rapidez mientras musita el conjuro.

Se oye un extraño sonido: *fiuuuuuu...*, ¡y al instante aparece en su habitación una bicicleta de niño! Kika estornuda, se atraganta y está a punto de dar un salto de alegría, pero se contiene: ¡no quiere echarlo todo a perder! Antes de nada, debe inspeccionar las evidencias y buscar huellas dactilares.

FIUUUUUU

Necesita su maletín de detective. Está tan absorta en su trabajo que ni siquiera nota el sabor del ajo en su boca ni el apestoso olor de la caca de caballo en sus pies. Sólo piensa en una cosa: ¿encontrará en esa bicicleta la misma huella que en la de mamá?

¡Pero si la bicicleta está plagada de huellas! Las hay pequeñas, de manos de niño, y grandes, que pueden ser de sus padres... o del ladrón. ¡Alto ahí! ¿Por qué dar por supuesto que el ladrón es un adulto? El autor de los robos también podría ser un niño, o incluso una banda de niños. Kika no quiere sacar conclusiones precipitadas; antes debe reunir la mayor cantidad de pruebas posible. ¡Pero pegar tantas huellas en sus correspondientes fichas es la mar de complicado! Luego comienza la laboriosa tarea de compararlas con ayuda de la lupa. Si al menos esas finísimas líneas no fueran tan parecidas... Una hora después a Kika le lloran los ojos de cansancio. ¡Pero ahora no puede rendirse!

Al fin, sus esfuerzos se ven recompensados: ha encontrado *la huella* decisiva en la bici. La misma huella que aparecía en el guardabarros de la bicicleta de mamá. No se trata de una casualidad, no; Kika está segura. Las bicicletas de mamá y del niño han sido robadas por la misma persona.

Kika ha dado un paso de gigante. Pero ahora, ¿qué?

En primer lugar, devuelve la bicicleta robada. El niño y sus padres se alegran mucho, aunque también se quedan muy asombrados porque ahora la bicicleta tiene otro manillar. «¡Ajá!», piensa Kika, «así que es verdad que el ladrón se dedica a intercambiar las piezas de las bicis robadas.» Ahora sólo le queda averiguar quién es ese ladrón y dónde almacena su botín.

De nuevo en casa, Kika vuelve a consultar su libro de magia y toma una importante decisión: debe chafar enseguida los planes del ladrón y evitar así que siga haciendo daño. Kika pasa las hojas del libro y bajo los títulos «Magia de fuego» y «Venganza de fuego» encuentra justo lo que necesita. Toma algunas notas y coge el fichero de huellas dactilares. ¡No hay duda de qué ficha saca! En un abrir y cerrar de ojos comienza a actuar. Tras apretarse la ficha contra la frente, Kika murmura:

«Fría te siento en mi cabeza.
¡Pobre diablo!, a abrasarte empiezas.
El fuego del infierno y sus tormentos
penetran en tus manos, muy adentro...»

Las palabras restantes apenas se entienden, porque Kika está apretando un trocito de pedernal con los dientes.

—A ese tipo se le van a quitar las ganas de robar para siempre —susurra.

Luego vuelve a enfrascarse en su libro de magia y busca el «Salto de la bruja». Con él, las brujas pueden viajar a cualquier parte del mundo más deprisa que un cohete y, en caso necesario, hasta pueden trasladarse al pasado. Con el «Salto de la bruja», ¡Kika incluso aterrizó una vez en un barco pirata de verdad! Ha encontrado enseguida el conjuro, y ahora sólo necesita un objeto relacionado con el ladrón. Conseguirlo es fácil: ¡tiene el guardabarros falso de la bici de mamá, robado por el ladrón en persona! Con eso bastará.

Kika escribe las palabras del encantamiento en un papel y corre al sótano para desmontar el guardabarros trasero de la bici de mamá. Luego lo aprieta contra su pecho y saca del bolsillo de su pantalón la nota con las palabras escritas. Titubea, las dudas se apoderan de ella... «¿No será peligroso aparecer de repente ante las narices de ese ladrón?», piensa. Aquella vez, con los piratas, la situación llegó a ponerse muy fea...

«¡No, hay que actuar!», se dice Kika. Esta vez será muy cuidadosa y, en caso necesario, puede volver por arte de magia cuando le apetezca.

—Me muero de curiosidad por ver dónde aterrizaré —dice antes de cerrar los ojos y musitar las palabras mágicas.

Se marea y tiene la sensación de estar volando, pero un instante después vuelve a sentir la tierra firme bajo sus pies.

—¡Qué susto me has dado! ¿De dónde sales? —exclama una voz.

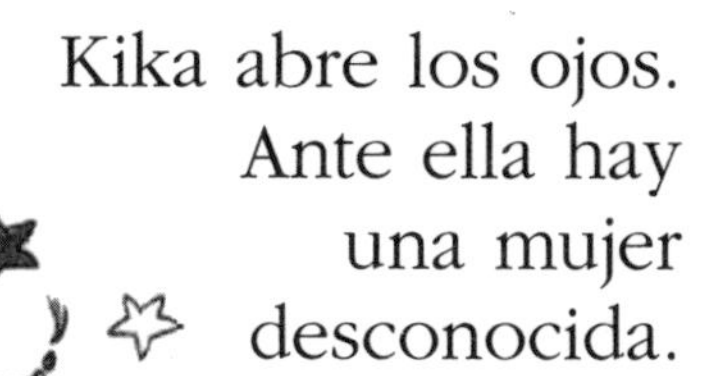

Kika abre los ojos. Ante ella hay una mujer desconocida.

—¿Cómo has aparecido tan de repente? —insiste la mujer—. No te he oído llegar.

Kika no tiene ni idea de dónde se encuentra. El lugar al que ha ido a parar tiene aspecto de oficina. Y la mujer no parece nada peligrosa, aunque nunca se sabe...

—Bueno... Yo..., yo... ¿Dónde estoy? Creo que me he perdido.

—En ese caso, ¡has venido al lugar adecuado! —la mujer se echa a reír—. Estás en la oficina de objetos perdidos del Ayuntamiento, y la verdad es que aquí nos han traído de todo..., ¡pero nunca una niña!

—¿La oficina de objetos perdidos? —dice Kika.

Le cuesta creer que haya ido a parar precisamente allí. ¿Por qué iba a encontrarse el ladrón en ese sitio? ¿No es justo allí donde acude mucha gente para recuperar sus objetos robados? ¿Habrá salido mal el «Salto de la bruja», y Kika ha ido a parar a un lugar equivocado?

—Eh, niña: ¿cómo te llamas? —le pregunta la mujer.

—Kika —responde ella antes de añadir—: Oiga, ¿tienen ustedes bicicletas?

—Pues claro. ¡Un montón! Pero ahora vayamos por partes: estás en la oficina de objetos perdidos y, por lo visto, tú has encontrado uno. ¿Vienes a entregar ese guardabarros?

—No; lo han robado —responde Kika.

—¿Robado? —pregunta la mujer, desconcertada.

Pero a Kika no le apetece empezar a darle explicaciones. Le cuesta trabajo comprender por qué ha ido a parar allí.

—No habrá habido un incendio en esta oficina, ¿verdad? Quiero decir en el último cuarto de hora —pregunta al fin.

—No tenemos competencias en materia de incendios. Los bomberos están al otro lado del edificio del Ayuntamiento —res-

ponde la mujer, como si estuviera recitando una lección—. Pero... ¿qué estoy diciendo? ¡Me estás volviendo loca con tus disparates! Creo que lo mejor será que te quedes aquí quietecita un momento. Vuelvo enseguida.

La mujer sale de su sitio y desaparece por una puerta.

No han pasado ni tres minutos cuando regresa. Aunque no viene sola. Trae refuerzos...

¡Un policía de uniforme! No es raro que lo haya encontrado tan deprisa. A fin de cuentas, se encuentran en el Ayuntamiento, y allí no sólo está la oficina de objetos perdidos, sino también la comisaría de policía, además del registro civil, la delegación de Hacienda, el cuerpo de bomberos y otros muchos organismos más.

—Aquí tiene usted a la niña, sargento... —dice la mujer—. Me da la impresión de

que está muy confundida. ¿No cree que hubiera sido mejor avisar a una ambulancia?

El sargento mira a Kika de arriba abajo:

—Me parece que esta niña es un poco gorrina... ¡Apesta como si hubiera pasado una semana entera en un establo! —exclama—. A lo mejor se ha escapado de casa... ¿Y dice usted que trae un guardabarros de bicicleta robado?

«Esto es el colmo», piensa Kika. «¿Quién se cree que es este policía para tratarme de esa manera?»

Pero antes de que se le ocurra una respuesta adecuada, el policía continúa hablando:

—Así que te has extraviado, ¿eh, pequeña? —dice con una voz más horrible aún que la de la bruja del teatro de títeres. ¡Y con qué retintín pronuncia lo de *pequeña!* ¡Es indignante!

—¡Yo no soy *pequeña!* —replica Kika ofendida.

—Vamos, vamos, tranquilízate. ¡Ya verás cómo encontramos a tus papás!

Otra vez esa espantosa voz de bruja–malvada–que–finge–adorar–a–los–niños. Kika siente cómo la invade la cólera. Le encantaría responder con voz de trueno: «¡Voy a sacudirte un estacazo en el morro, ceporro!», pero no se atreve. En lugar de eso dice:

—Usted no tiene ni idea de lo que está pasando. Por cierto, ¿sabe que estoy haciendo su trabajo? Claro, para usted los robos de bicicletas deben de ser algo sin importancia, y prefiere quedarse cruzado de brazos. Sin embargo, yo ya he tenido éxito en mis pesquisas, ¡y en dos ocasiones, nada menos! Ahora estoy siguiendo una pista importantísima. Tengo las pruebas en casa: ¡huellas dactilares!

—Vaya, vaya, de modo que tienes huellas dactilares… —el policía suelta una estrepitosa carcajada.

—Pues sí, en mi fichero de huellas.

El policía ríe y ríe sin parar mientras se sujeta la barriga.

—¿Huellas dactilares? ¿Estás segura? A juzgar por la peste que desprendes, ¡yo juraría que se trata más bien de huellas de caballos!

—Bueno, bueno, no se burle usted así de esta pobre niña —replica la mujer—. ¡A saber lo que le habrá pasado! La verdad es que hoy está siendo un día muy raro. Al parecer, todo el mundo se ha vuelto loco.

Fíjese, sargento: hace un momento llegó aquí un hombre que se disponía a entregar una bicicleta robada. Estaba rellenando el impreso cuando de repente ha dado un salto, como si le hubiera picado una tarántula, y ha salido dando voces de la oficina con la bicicleta. Gritaba algo sobre «dedos quemados».

—¿Se quemó los dedos? —pregunta Kika muy interesada.

El policía y la mujer la miran extrañados.

—¿Quién se quemó los dedos? —añade el policía, perplejo.

—El señor que se disponía a entregar la bicicleta —responde la mujer—. Y ésta era la tercera bici que se encontraba. ¡Hay que ver lo honrado que es ese hombre!

Los pensamientos se amontonan en la cabeza de Kika. Y de pronto encuentra la solución. ¡Claro, eso debe ser!: el ladrón roba una bici, la transforma y la lleva a la

oficina de objetos perdidos. ¡Un truco muy hábil! Si el dueño pregunta por su bicicleta y la reconoce en la oficina, el ladrón se embolsa el dinero de la recompensa por haberla encontrado. A fin de cuentas ha sido él quien ha entregado la bicicleta, y no tiene que dar explicaciones de por qué ha sido modificada. Si nadie pregunta por la bici ni la reconoce, la oficina de objetos perdidos avisará al ladrón al cabo de un año y se la regalará. ¡Qué tipo tan astuto! Pero Kika va a encargarse de dar una lección a ese granuja.

—¿Tiene usted los datos personales de ese hombre: su nombre, dirección y todo lo demás? —pregunta a la mujer.

—Por supuesto. Está todo apuntado en esta ficha.

—¡Pues a menudo pájaro acabamos de echarle el guante! —exclama Kika con voz triunfal—. Porque resulta que ese señor no es un honrado ciudadano que encuentra objetos perdidos, sino un ladrón de bicicletas, y de lo más experto. ¡Mira que dar sus golpes aquí...! La policía debería encerrar a ese tipo. Sargento, tiene que registrar la casa de ese hombre enseguida.

Kika está orgullosísima. Ha probado la culpabilidad del ladrón, no le cabe la menor duda. ¡Un trabajo detectivesco de primera!

Pero el policía le quita de golpe el buen humor:

—Querida niña, no deberías hacer acusaciones tan graves así como así —le aconseja—. Además, ¿dónde iríamos a parar si todos los mocosos como tú se dedicaran a jugar a detectives?

Del enfado, Kika se ha quedado sin palabras.

Entonces interviene la mujer:

—Ya se lo dije: esta niña se encuentra muy desorientada. ¿No sería mejor llamar a una ambulancia?

Kika hierve de furia. Una empleada municipal con cara de acelga y un sargento de policía medio memo... ¡Esto es demasiado!

Rápidamente traza un plan. Ya se ocupará más tarde del ladrón: tiene pruebas de sobra para cazarlo. Echa una breve ojeada a la nota donde ha escrito el conjuro para regresar a casa y murmura las palabras en voz baja.

Inmediatamente se disuelve en el aire, dejando al policía y a la mujer de la oficina de objetos perdidos con un palmo de narices y con cara de bobos.

De nuevo en su habitación, Kika saca el libro de magia de su escondite.

—¡Ahora veréis! —exclama—. ¡No vais a poder olvidar este día en vuestras vidas!

Entonces escoge unos trucos para poner patas arriba la oficina de objetos perdidos y la comisaría de policía, según las reglas de la brujería.

Y así sucede. Sólo media hora después, mientras Kika chapotea en la bañera silbando alegremente, el Ayuntamiento es un auténtico caos.

Nunca se ha visto nada semejante:

Los policías recorren el pasillo en ropa interior intentando vender sus uniformes a los funcionarios de Hacienda.

Las parejas de novios que van a contraer matrimonio son recibidas en el registro civil por los bomberos... ¡que inmediatamente les riegan con sus mangueras!

El jefe de policía trata de casar por todos los medios al alcalde con el capitán de bomberos.

Y en la oficina de objetos perdidos hay un cartel que dice:

Truco de detective

«Tinta invisible»

Cuando quieras enviar un mensaje secreto a alguien, puedes escribirlo con tinta invisible. A lo mejor ya conoces este truco de magia, pero con la modalidad especial de Kika Superbruja tus mensajes secretos se volverán todavía más secretos... ¿Quieres saber cuál es esa modalidad especial? ¡Utiliza una hoja de papel que ya esté escrita! Seguro que, así, a nadie se le ocurrirá someter ese papel a tratamientos especiales para buscar mensajes secretos.

Fabrica la tinta con zumo
de limón (deberás
colarlo muy bien)
y añádele unas gotas
de zumo de cebolla.
Sólo al pasar una plancha
caliente sobre el papel
aparecerá el texto
que antes era invisible.

Truco de detective

«El mensaje del periódico»

Lo habrás visto en muchas películas policíacas: el detective se sienta en una cafetería o en un restaurante y finge que está leyendo el periódico, aunque en realidad está observando a los clientes a través de un diminuto agujero en el papel. Quizá debido a la genial sencillez de esta estratagema, las personas que están siendo observadas nunca sospechan que las espían, a pesar de que este truco es superconocido. ¡Tienes que probarlo!

También puedes enviar mensajes secretos con ayuda de cualquier texto de un periódico o una revista. El mensaje se escribe en clave con un alfiler, haciendo un agujero debajo de cada una de las letras que lo componen. Bajo la última letra de cada

palabra del mensaje secreto se hacen dos agujeros. ¡Si sostienes la hoja contra la luz, podrán verse los agujeritos para leer el mensaje!

Cuando hayas escrito tu mensaje en clave, puedes dejar el periódico o la revista colocado en cualquier sitio, a la vista de todos, para que lo recoja tu agente de enlace. ¡Así, nadie sospechará! En el siguiente ejemplo, el texto en clave dice: «LEER ES ESTUPENDO.»

EL MISTERIO DEL AJO

El ajo no sólo sirve para ahuyentar a los vampiros
y protegerse contra los malos espíritus.
Según dicen, permite incluso alargar mucho
la vida. ¿Superstición? ¿Magia potagia?
Algo debe de tener el ajo...

Truco de detective
«Descifrar mensajes secretos»

Para los tiempos modernos, métodos modernos, ¿no? Si quieres enviar un mensaje secreto por fax, la tinta invisible no te será de mucha utilidad. Pero no te preocupes... Ya en tiempos de Astérix, es decir, hace unos 2000 años, Julio César usaba un truco para evitar que personas no autorizadas pudiesen descifrar sus mensajes: ¡un método de cifrado especial! Así que, si quieres enviar a tus legiones un mensaje que no puedan descifrar los enemigos...

Escribe el alfabeto dos veces seguidas en una hoja de papel cuadriculado colocada a lo ancho. En la parte superior de otra hoja, escribe de nuevo el alfabeto. Coloca esta hoja sobre la primera, de forma que pue-

dan verse todos los alfabetos. Ahora tienes que decidir cuál va a ser tu «letra clave». En el ejemplo siguiente es la *N*. Esto significa que la hoja donde has escrito un solo alfabeto se desplazará hacia la derecha hasta que la *A* esté situada debajo de la *N*.

Imagina que el mensaje que quieres poner en clave dijera así:

«HOLA, DANI, QUEDAMOS EL LUNES.»

Busca la *H* en la hoja donde has escrito un solo alfabeto y anota la letra que queda situada justo encima. Se trata de la letra *T*. Así, la *O* se convierte en *B*, la *L* en *X* y la *A* en *N*.

El mensaje secreto quedará así:

«TBXN, PNZU, DHQPNYBF QX XHZQF.»

¡Como es lógico, con este truco podrás descifrar también los mensajes secretos de los demás! ¿Te atreves a intentarlo con este texto en clave?

¡POVSNSÑLÑOD!

ALCL AOCDZXLD VSDELD NZWZ EF

ODNCSMZ WSD VSMCZD NZX
ODAONSLV AVLNOC.

CONSMO FX NLCSYZDZ DLVFÑZ

ÑO UXSDEOC.

¡Atención!: la letra clave es la *L*.

La solución del mensaje secreto es:

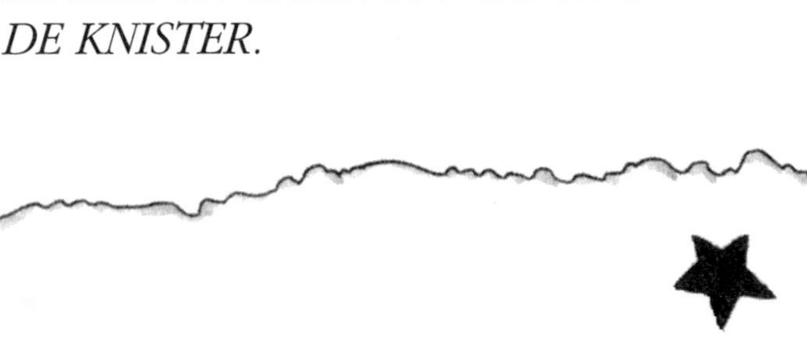

¡FELICIDADES!

PARA PERSONAS LISTAS COMO TÚ ESCRIBO MIS LIBROS CON ESPECIAL PLACER.

RECIBE UN CARIÑOSO SALUDO DE KNISTER.

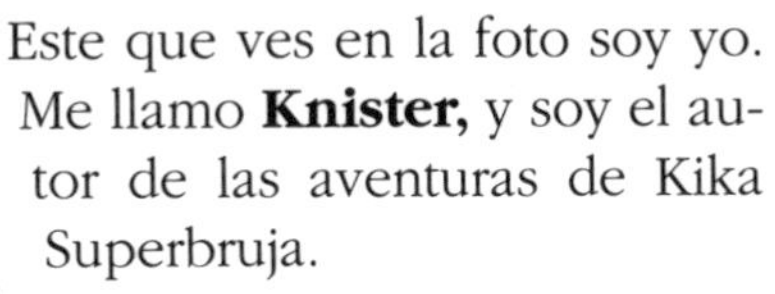

¡Hola!

Este que ves en la foto soy yo. Me llamo **Knister,** y soy el autor de las aventuras de Kika Superbruja.

Como siempre me ha gustado vuestro mundo, el de los chicos y chicas como tú, he escrito muchos libros y canciones para vosotros, y también obras de teatro.

Me encanta presentar programas de lectura en la tele, la radio, las bibliotecas, los teatros y las librerías de mi país (que, por cierto, es Alemania), y también disfruto mucho cuando realizo trabajos para chicos y chicas que son discapacitados psíquicos, o disléxicos, o ciegos..., todos ellos de tu misma edad.

Pero lo mejor de todo es cuando vosotros participáis conmigo en lo que hago, leyendo mis libros y compartiendo las aventuras de los personajes que los protagonizan.

En esta ocasión he querido presentaros a Kika Superbruja. Como es una bruja supersecreta, me costó bastante que me explicara sus trucos de magia, pero al final lo conseguí. Aunque..., no sé por qué, pero me da la impresión de que Kika Superbruja no me ha contado todos sus supersecretos... ¡y a lo mejor todavía le quedan unos cuantos hechizos guardados en la manga!

Índice

Trucos de detective

Títulos publicados

1. *Kika Superbruja, detective*
2. *Kika Superbruja y los piratas*
3. *Kika Superbruja y los indios*
4. *Kika Superbruja revoluciona la clase*
5. *Kika Superbruja, loca por el fútbol*
6. *Kika Superbruja y la magia del circo*
7. *Kika Superbruja y la momia*
8. *Kika Superbruja y la ciudad sumergida*

Y más ideas mágicas en

Kika Superbruja Especial Navidad

Kika Superbruja Especial Cumpleaños

Este libro se terminó
de imprimir en HUERTAS,
Industrias Gráficas, S. A.,
en el mes de enero de 2002